FRANZ SCHUBERT

DEUTSCHE MESSE
GERMAN MASS

D 872

Edited by/Herausgegeben von
Felix Loy

Ernst Eulenburg Ltd

London · Mainz · Madrid · New York · Paris · Prague · Tokyo · Toronto · Zürich

CONTENTS

Ernst Eulenburg Ltd
48 Great Marlborough Street
London W1F 7BB

PREFACE

ranz Schubert's 'Deutsche Messe' ['German
lass'] D 872, one of his most popular pieces,
certainly by far his best-known work within the
acred music sphere. It follows in the tradition
f the *Deutsche Singmesse* ['(Tridentine) Low
lass'] that had emerged in the late 18th century
the course of the Enlightenment efforts towards
German-language Catholic mass in South
ermany and Austria. In 1777 the hymnbook
*er heilige Gesang zum Gottesdienste in der
ömisch-katholischen Kirche. Erster Theil* was
ublished in Landshut, Lower Bavaria (reprint:
andshut, 2003). It had been compiled by the
terary commercial councillor Franz Seraph
on Kohlbrenner, together with Norbert Hauner,
he canon who was also active as church-musi-
ian in the Herrenchiemsee monastery. Found
ere for the first time are hymns in the German
anguage associated with the individual sections
f the ordinary of the mass, opening with the
Hier liegt vor deiner Majestät im Staub die
hristen-Schar', sung as the *Kyrie*. The hymn-
ook quickly gained currency, as various bishops'
pprobations in the hymnbook document. The
rchbishop Hieronymus Count Colloredo im-
osed the mandatory use of this hymnbook (in
slightly revised new issue) in the Salzburg
rchdiocese in 1782. A new issue edited by
Michael Haydn appeared in 1790; then in sub-
equent years Haydn composed several masses
eferred to as 'German High Masses' on Kohl-
renner's text (MH 536, 560, 602, 642). The
etting MH 560 originating in 1795 was espe-
ially popular, finding its way also into many
ymnbooks and books of lieder.

Numerous other 'German Low Masses' of
he 18th century, on the other hand, quickly fell
nto oblivion, amongst them not only Michael
Haydn's other, similar settings, but also, for example, those by such composers of the Mann-
heim school as Ignaz Holzbauer and Abbé Vogler.
With his 'German Mass' Franz Schubert was en-
tirely within this tradition; that he knew Haydn's
popular setting is documented by his copy of the organ part (D App. III, 9). The 'German Mass' is not alone in Schubert's œuvre, but simply represents the best-known of his series of sacred works on German texts: thus, already originating in 1816 were a 'German *Salve Regina*' D 379 and the *Stabat Mater* D 383, as well as in 1818, the 'German Requiem' D 621 inspired by his brother Ferdinand, and even the *Hymnus an den heiligen Geist* D 948.

Schubert received the order to compose the 'German Mass' from Johann Philipp Neumann (1774–1849), a thoroughly cultivated physics professor at the Polytechnic Institute founded in 1815 in Vienna (later the Vienna University of Technology), who was also active as a poet. Neumann had already written the libretto for Schubert's unfinished opera *Sakuntala* in 1820. He submitted his writing of the *Gesänge zur Feier des heiligen Opfers der Messe* for approval in 1827 by the diocese of the Viennese archbishop; printing approval was in fact granted, but not its use in the liturgy: 'not admitted, however, for public use in the church'.[1] At this point in time Schubert's setting was already finished, as can be gathered from the same protocol note as well as from Schubert's letter to Neumann of 16 October:

> Dear Herr Professor! I have duly received the 100 fl. W.W. [Viennese currency], which you sent me for the composition of the mass songs, and only wish that the same composition might meet expectations. [...][2]

Thus, the work was probably composed shortly before, in the summer or early fall of 1827.

The autograph of the first version, with organ accompaniment (and that of the contrabass, ad

[1] Protocol note of 24 October 1827, quoted from *Schubert. Die Dokumente seines Lebens*, ed. Otto Erich Deutsch (= *Neue Schubert-Ausgabe* vol. VIII/5), (Kassel, 1964), 460

[2] Letter from Franz Schubert to J. Ph. Neumann, 16 October 1827 (A-Wn, siglum *Mus. Hs. 41542*); see also *Schubert. Die Dokumente seines Lebens*, op. cit., 459

libitum), did not carry a composition date nor did the second version that Schubert orchestrated with winds and timpani. Added in the second version are the first brief instrumental postludes for the numbers 1–4 and 7; the dynamic markings are also more fully realised and several of the details are altered.

The bifolio used for both manuscripts as wrapper, on which Schubert had presumably written the title, perhaps also a date and his signature, has gotten lost. Missing from the autograph of the first version is also the second bifolio, so that portions of the music of this version can no longer be reconstructed (bars 19–28 of no. 8 as well as *Das Gebet des Herrn*).

Whether the title-page of the second version was still present when a copy accurate in every detail was prepared (see the Editorial Notes, source C), is not known. The wrapper title in this copy reads *Fr. Schubert | Gesänge zur Feyer der h. Messe* ['Songs for the Celebration of the Holy Mass'], on the inner title-page the wording is identical to the title of Neumann's text manuscript. Thus, the term 'German Mass' does not go back to either Schubert or Neumann, but was adopted from the term *Deutsches Hochamt* ['German High Mass'] used by Michael Haydn.

The second version with its wind scoring is rooted also in one of the widespread performance traditions of sacred music from the late 18th century, the *Harmoniemusik* ['wind music'], whose scoring was steadily augmented from the original sextet- and octet-setting with woodwinds and horns around and after 1800 and could encompass in the early 19th century all commonplace woodwind and brass instruments. Even Michael Haydn's *Deutsches Hochamt* MH 560 had appeared in a version 'with 13-part winds'.[3]

There is no evidence that the 'German Mass' was performed in Schubert's lifetime; the first known performance did not take place until 1846 under Ferdinand Schubert's direction.[4] This long time period during which, t our knowledge, no public performances of th work occurred is probably due in part to th fact that Neumann's text was not released fo liturgical use until that year 1846. In the 185(Schubert's mass was then spread at first in mo or less heavily-edited editions before publicatio of the first edition 'from the original manuscrip (thus the preface) in December 1870 by J. Gotthard's music publishing house in Vienn The edition kept meticulously to the autograp and even took over obvious writing errors. furthermore contained metronome marking whose origin stemmed from Neumann, as th preface states:

> It is thought that the same [= the metronomic mark ings] must not be suppressed because they make som claim to trustworthiness and can perhaps be though to reproduce exactly the tempos intended by th composer. According to a diary note, Neumann ha namely, recorded the tempos from a *Maelzel* metro nome and thus entered them into the score as the were given to him by the composer when he onc visited him and played the movements of the mas consecutively.

Since according to this, authorisation cannot b ruled out, the metronome markings are als given in the present edition.

Editorial Notes

Music Sources

A Autograph score of the first version Österreichische Nationalbibliothek, Vienna (A-Wn), siglum *Mus. Hs. 41542*. 10 folios (5 bifolios, one within another in oblong format with 16 rastral-drawn staves, fols. 1–2 blank; fols. 3–8, autograph draft of nos. 1 to 8 (to b18); fols 9–10, completion of nos. 8 and 9 in a copy in an unknown hand.

[3] Announcement by the art dealer Sauer in the *Wiener Zeitung* of 24 May 1800

[4] Performance on 8 December in St Anne's Church in Vienna; report in the *Wiener allgemeine Musik-Zeitung* of 19 December 1846

First draft of the work with numerous revisions. The autograph draft is not fully extant, as the two (?) outer bifolios have gone missing. They were later replaced by two bifolios: the two front folios remained blank; numbers 8 and 9 of the second version of the work were added to the two rear folios.
Only the first strophe of each number is underlaid with text, Schubert indicating the subsequent strophes with repeat signs and specifying the number of repetitions.
Autograph score of the second version. Wiener Stadt- und Landesbibliothek (A-Wst), siglum *MH 14.*
20 folios in upright format with 16 rastral-drawn staves. The title-page has gone missing. Clean, representative transcription with only a few revisions. The sections are numbered from 1–8, the close of no. 8, *Ende der Messe*, followed by the *Gebeth des Herrn* ['Lord's Prayer']. Here also, as in source A, only the first strophe is textually underlaid, together with indications of the number of repetitions.
Metronome markings are added at the start of every piece in an unidentified hand (see the preface).

C Copy by an unknown copyist. Archives of the Gesellschaft der Musikfreunde, Vienna (A-Wgm), Witteczek-Spaun Collection, volume 83.
Title: *Gesänge zur Feyer des heiligen Opfers der Messe. Nebst einem Anhang enthaltend: Das Gebet des Herrn* ['Songs for the Celebration of the Holy Rite of the Mass. Along with: The Lord's Prayer']
The copy, from source B, was presumably made around 1830 for Josef Wilhelm Witteczek. The title could have come from the original title-page of source B, perhaps still extant at this time, or else from Neumann's manuscript or the print of the text containing practically the identical title.

D First edition of the second version. Vienna, J. P. Gotthard, December 1870. Score and parts, plate number 117–119.
Title: *Deutsche Messe nebst einem Anhang „Das Gebet des Herrn" für 4 Singstimmen mit Begleitung von Blasinstrumenten (2 Oboen, 2 Clarinetten, 2 Fagotte, 2 Hörner, 2 Trompetten, 3 Trombonen) und Pauken oder* [!] *der Orgel (mit Contrabass ad. lib.) componirt von Franz Schubert.* ['German Mass Along with an Appendix "The Lord's Prayer" for 4 Voices with Woodwind Accompaniment (2 Oboes, 2 Clarinets, 2 Bassoons, 2 Horns, 2 Trumpets) and Timpani or [!] the Organ (with Contrabass, ad. lib.) composed by Franz Schubert'].
With a preface by the publisher. The first edition is based on source B, even to adopting obvious writing errors.

Text Sources

T1 Autograph transcription by the text author Johann Philipp Neumann. Wiener Stadt- und Landesbibliothek (A-Wst), Manuscript Collection, siglum *IN 9097.*
Title, autograph: *Gesänge | zur Feyer | des heiligen Opfers | der Messe. | Nebst einem Anhange, | enthaltend: | Das Gebeth des Herrn.* 10 folios, title on fol. 2r, text on fols. 3–9. On fol. 9r, Viennese police-department imprimatur statement of 23 October 1827.
The source presumably served as engraver's model for T2: The words underlined here are spaced out there in print.

T2 First print of the text, Anton von Haykul, Vienna, 1827.
Title: *Gesänge zur Feier des heiligen Opfers der Messe. Nebst einem Anhange, enthaltend: Das Gebet des Herrn.* 14 pages, text on pp3–14. Upright format, 11 x 18 cm.
The title-page is no longer present in the exemplar used (A-Wst, siglum *A 11764*); title information from *Schubert. Die Dokumente seines Lebens*, op. cit, 459.

Source Evaluation and Edition

Source B is the only source relevant for the edition. Sources C and D originated posthumously and are based on source B. Source A offers another version with numerous differences in detail.

The score configuration corresponds to source B. The Italian instrumental terms also correspond to the source, Schubert having written in German only ‘mit beliebigem Contrabass’ [‘with contrabass as desired’]. The dynamic markings in the source notated only for the oboe, soprano and organ staves (‘framing dynamics’) were tacitly added for the rest of the staves in the edition. Dynamics and articulation were likewise tacitly added for parts running strictly parallel and only within instrumental groups (slurs in no. 1, bar 4 of the source, for example, are in the oboes and bassoons; they are added in the edition for the clarinets, though not for the organ).

In several places Schubert wrote *cresc.*, concurrently with a crescendo hairpin. The *cresc.* in these instances is tacitly omitted this edition.

Added tacitly in the organ part were inc vidual rests to clarify the voice-leading.

The text source T1 presumably served model for the printed text T2. The vocal text generally edited in accordance with T1; t Textual Notes give information about speci cases (cf., for example, bar 8 of no. 6). Th orthography is modernised, though the origin articulations are retained.

Distinguishing in Schubert’s handwritin between accents and decrescendo hairpins frequently difficult. In all doubtful cases, a d crescendo hairpin is placed in the present editio This pertains to the following places: no. b17; no. 4, b3; no. 6, b3,6,8,12,15; no. b3,7,19,25,27.

Felix Lo

Translation: Margit L. McCork

VORWORT

ranz Schuberts „Deutsche Messe“ D 872 ge-
ört zu seinen populärsten Werken und ist sicher
ein mit Abstand bekanntestes Werk im Bereich
er geistlichen Musik. Sie steht in der Tradition
er *Deutschen Singmesse*, die sich im späten
8. Jahrhundert im Zuge der aufklärerischen
estrebungen um eine deutschsprachige katho-
sche Messfeier in Süddeutschland und Öster-
eich entwickelt hatte. 1777 erschien im nieder-
ayrischen Landshut das Gesangbuch *Der heilige
esang zum Gottesdienste in der römisch-ka-
holischen Kirche. Erster Theil* (Nachdruck:
andshut 2003), erarbeitet von dem literarisch
ätigen Münchner Kommerzienrat Franz Seraph
on Kohlbrenner zusammen mit dem auch als
irchenmusiker wirkenden Chorherren im Stift
Ierrenchiemsee, Norbert Hauner. Darin finden
ich erstmals deutschsprachige Gemeindege-
änge, die den einzelnen Teilen des Ordinariums
ugeordnet sind, eröffnet von dem zum Kyrie
u singenden „Hier liegt vor deiner Majestät
n Staub die Christen-Schar“. Das Gesangbuch
erbreitete sich rasch, wie die Approbationen
erschiedener Bistümer im Gesangbuch belegen.
Den verbindlichen Gebrauch dieses Gesang-
uchs im Erzbistum Salzburg (in einer leicht
eränderten Neuauflage) ordnete Erzbischof
Iieronymus Graf Colloredo 1782 an. 1790 er-
chien eine von Michael Haydn überarbeitete
Neuauflage; Haydn komponierte in den folgen-
en Jahren dann mehrere als *Deutsches Hoch-
mt* bezeichnete Messen auf Kohlbrenners Text
MH 536, 560, 602, 642). Besonders populär
wurde die 1795 entstandene Vertonung MH 560;
ie fand auch in viele Gesang- und Liederbücher
Eingang.

Zahlreiche andere *Deutsche Singmessen* des
8. Jahrhunderts gerieten dagegen rasch in Ver-
essenheit, darunter nicht nur Michael Haydns
ndere gleichartige Vertonungen, sondern z. B.
uch diejenigen von Komponisten der Mann-
eimer Schule, etwa Ignaz Holzbauer und
Abbé Vogler. Franz Schubert steht mit seiner
„Deutschen Messe“ ganz in dieser Tradition; dass er Haydns populäre Vertonung gekannt hat, belegt seine Abschrift der Orgelstimme (D Anh. III,9). In Schuberts Œuvre steht die „Deutsche Messe“ nicht alleine; sie stellt lediglich das bekannteste einer Reihe von geistlichen Werken auf deutschen Text dar: So entstanden bereits 1816 ein *Deutsches Salve Regina* D 379 und das *Stabat Mater* D 383 sowie 1818 das von seinem Bruder Ferdinand angeregte *Deutsche Requiem* D 621 und noch 1828 der *Hymnus an den heiligen Geist* D 948.

Schubert erhielt den Auftrag zur Komposition der „Deutschen Messe“ von Johann Philipp Neumann (1774–1849), einem umfassend gebildeten, auch dichterisch tätigen Professor für Physik am 1815 gegründeten Polytechnischen Institut in Wien (der späteren Technischen Universität). Neumann hatte bereits 1820 das Libretto zu Schuberts unvollendeter Oper *Sakuntala* verfasst. Seine Dichtung der *Gesänge zur Feier des heiligen Opfers der Messe* reichte er 1827 zur Genehmigung bei der Diözese des Wiener Erzbischofs ein; die Druckfreigabe wurde zwar gewährt, nicht aber die Verwendung in der Liturgie: „admittuntur jedoch nicht zum öffentlichen Kirchengebrauche“[1]. Zu diesem Zeitpunkt lag Schuberts Vertonung bereits fertig vor, wie aus derselben Protokollnotiz hervorgeht sowie aus Schuberts Brief an Neumann vom 16. Oktober:

> Geehrtester Herr Professor! Ich habe die 100 fl. W.W. [Wiener Währung] welche Sie mir für die Composition der Meßgesänge schickten, richtig empfangen, und wünsche nur, daß selbe Comp.[osition] den gemachten Erwartungen entsprechen möge. […][2]

Das Werk dürfte also kurz davor, im Sommer oder Frühherbst 1827 entstanden sein.

1 Protokollnotiz vom 24.10.1827, zitiert nach *Schubert. Die Dokumente seines Lebens*, hrsg. von Otto Erich Deutsch (= *Neue Schubert-Ausgabe* Bd. VIII/5), Kassel 1964, S. 460.

2 Brief von Franz Schubert an J. Ph. Neumann, 16. Oktober 1827 (A-Wn, Signatur *Mus. Hs. 41542*); siehe auch *Schubert. Die Dokumente seines Lebens*, a. a. O., S. 459.

Das Autograph der ersten Fassung, mit Begleitung der Orgel (und des Kontrabasses ad libitum), trägt ebenso wenig ein Entstehungsdatum wie das der zweiten Fassung, die Schubert zusätzlich mit Bläsern und Pauken instrumentierte. In der zweiten Fassung sind gegenüber der ersten kurze instrumentale Nachspiele bei den Nummern 1–4 und 7 ergänzt, außerdem ist die dynamische Bezeichnung stärker ausgearbeitet und etliche Details sind verändert.

Von beiden Manuskripten ging das als Umschlag benutzte Doppelblatt verloren, auf das Schubert vermutlich den Titel und die Signierung und vielleicht auch eine Datierung geschrieben hatte. Vom Autograph der ersten Fassung fehlt auch das zweite Doppelblatt, sodass Teile der Musik dieser Fassung nicht mehr rekonstruierbar sind (die Takte 19–28 der Nr. 8 sowie *Das Gebet des Herrn*).

Ob das Titelblatt der zweiten Fassung noch vorlag, als um 1830 eine detailgetreue Kopie angefertigt wurde (siehe Revisionsbericht, Quelle C), ist nicht bekannt. Der Umschlagtitel in dieser Kopie lautet *Fr. Schubert | Gesänge zur Feyer der h. Messe*, auf dem Innentitel ist der Wortlaut identisch mit dem Titel von Neumanns Textmanuskript. Die Bezeichnung „Deutsche Messe“ lässt sich also weder auf Schubert noch auf Neumann zurückführen, knüpft aber an die schon von Michael Haydn verwendete Bezeichnung *Deutsches Hochamt* an.

Die zweite Fassung steht mit ihrer Bläserbesetzung in einer seit dem späten 18. Jahrhundert verbreiteten Aufführungstradition auch von geistlicher Musik, der *Harmoniemusik*, deren Besetzung sich von ursprünglicher Sextett- und Oktettbesetzung mit Holzbläsern und Hörnern um und nach 1800 beständig vergrößerte und im frühen 19. Jahrhundert alle gängigen Holz- und Blechblasinstrumente umfassen konnte. Auch Michael Haydns *Deutsches Hochamt* MH 560 war in einer Version „mit 13-stimmiger Harmonie“[3] erschienen.

[3] Annonce der Kunsthandlung Sauer in der *Wiener Zeitung* vom 24. Mai 1800.

Für Aufführungen der „Deutschen Messe zu Lebzeiten Schuberts liegen keine Hinweis vor; die erste bekannte Aufführung fand ers 1846 unter der Leitung Ferdinand Schubert statt.[4] Dieser lange Zeitraum, in dem nach unserer Kenntnis keine öffentlichen Aufführunge des Werks stattfanden, ist wohl mitbedingt durc die erst in jenem Jahr 1846 erfolgte Freigabe vo Neumanns Text zur liturgischen Verwendung In den 1850er Jahren verbreitete sich Schubert Messe dann zunächst durch mehr oder wenige stark bearbeitete Ausgaben, bevor der erst Druck „nach dem Original-Manuscript“ (so da Vorwort) durch J. P. Gotthard’s Musikverlags handlung in Wien im Dezember 1870 erschien Die Ausgabe hält sich akribisch an das Autograph und übernimmt sogar offensichtlich Schreibfehler. Sie enthält darüber hinaus Metronomzahlen, über deren Ursprung das Vorwor angibt, sie stammten von Neumann:

> Man glaubte, dieselbe [= die metronomische Bezeichnung] nicht unterdrücken zu dürfen, weil sie einige Anspruch auf Vertrauen machen und vielleicht gena die vom Componisten gedachten Tempi wiedergebe kann. *Neumann* hat nämlich laut einer Tagebuch Aufzeichnung die Tempi nach einem *Maelzel’sche* Metronom aufgenommen und so in die Partitur eingetragen, wie sie ihm vom Componisten angegebe wurden, als dieser einmal bei ihm zu Besuche wa und die Sätze der Messe der Reihe nach vorspielte

Da eine Autorisierung demnach nicht ausgeschlossen werden kann, werden die Metronomisierungen auch in der vorliegenden Ausgab mitgeteilt.

Revisionsbericht

Notenquellen

A Autographe Partitur der ersten Fassung Österreichische Nationalbibliothek, Wie (A-Wn), Signatur *Mus. Hs. 41542*.
10 Blätter im Querformat (5 ineinande gelegte Doppelblätter), 16-zeilig rastriert

[4] Aufführung am 8. Dezember in der Kirche St. Anna Bericht in der *Wiener allgemeinen Musik-Zeitung* vom 19. Dezember 1846.

Bl. 1–2 leer; Bl. 3–8 autographe Niederschrift von Nr. 1 bis Nr. 8, Takt 18; Bl. 9–10 Kopie von unbekannter Hand, Vervollständigung von Nr. 8 und 9.
Erste Niederschrift des Werkes, mit zahlreichen Korrekturen. Die autographe Niederschrift ist unvollständig erhalten, da die zwei (?) äußeren Doppelblätter verloren gingen. Sie wurden später durch zwei Doppelblätter ersetzt: Die ersten beiden Blätter blieben leer, auf den hinteren beiden wurden die Nummern 8 und 9 nach der zweiten Fassung ergänzt.
Nur die jeweils erste Strophe ist unterlegt, Schubert weist mit Wiederholungszeichen und Angabe der Anzahl der Wiederholungen auf die Folgestrophen hin.

B Autographe Partitur der zweiten Fassung. Wiener Stadt- und Landesbibliothek (A-Wst), Signatur *MH 14.*
20 Blätter im Hochformat, 16-zeilig rastriert. Das Titelblatt ging verloren. Saubere, repräsentative Niederschrift mit nur wenigen Korrekturen. Die Teile sind von 1–8 durchnummeriert, am Ende von Nr. 8 *Ende der Messe*, danach folgt das *Gebeth des Herrn.* Auch hier, wie in Quelle A, ist nur die jeweils erste Strophe unterlegt mit Hinweisen auf die Anzahl der Wiederholungen.
Von fremder Hand sind zu Beginn jedes Stücks Metronomangaben ergänzt (siehe Vorwort).

C Abschrift eines unbekannten Kopisten. Archiv der Gesellschaft der Musikfreunde, Wien (A-Wgm), Sammlung Witteczek-Spaun, Band 83.
Titel: *Gesänge zur Feyer des heiligen Opfers der Messe. Nebst einem Anhang enthaltend: Das Gebet des Herrn.*
Die Abschrift entstand vermutlich um 1830 für Josef Wilhelm Witteczek. Sie wurde von Quelle B kopiert. Der Titel könnte von dem zu dieser Zeit vielleicht noch vorhandenen originalen Titelblatt von B stammen, oder aber von Neumanns Textmanuskript bzw. Textdruck, die praktisch gleichlautende Titel enthalten.

D Erstausgabe der zweiten Fassung. Wien, J. P. Gotthard, Dezember 1870. Partitur und Stimmen, Plattennummer 117–119.
Titel: *Deutsche Messe nebst einem Anhang „Das Gebet des Herrn" für 4 Singstimmen mit Begleitung von Blasinstrumenten (2 Oboen, 2 Clarinetten, 2 Fagotte, 2 Hörner, 2 Trompetten, 3 Trombonen) und Pauken oder* [!] *der Orgel (mit Contrabass ad. lib.) componirt von Franz Schubert.*
Mit einem Vorwort des Verlegers. Die Erstausgabe basiert auf Quelle B, übernimmt sogar offensichtliche Schreibfehler.

Textquellen

T1 Autographe Niederschrift des Textdichters Johann Philipp Neumann. Wiener Stadt- und Landesbibliothek (A-Wst), Handschriftensammlung, Signatur *IN 9097.*
Titel, autograph: *Gesänge | zur Feyer | des heiligen Opfers | der Messe. | Nebst einem Anhange, | enthaltend: | Das Gebeth des Herrn.* 10 Blätter, Titel auf Bl. 2r, Text auf Bl. 3–9. Auf Bl. 9r Imprimaturvermerk der Polizeihofstelle Wien vom 23. Oktober 1827.
Die Quelle diente vermutlich als Stichvorlage für T2: Die hier unterstrichenen Wörter sind dort gesperrt gedruckt.

T2 Erstdruck des Textes, Anton von Haykul, Wien, 1827.
Titel: *Gesänge zur Feier des heiligen Opfers der Messe. Nebst einem Anhange, enthaltend: Das Gebet des Herrn.* 14 Seiten, Text S. 3–14. Hochformat, 11 x 18 cm. Im benutzten Exemplar (A-Wst, Signatur *A 11764*) ist die Titelseite nicht mehr vorhanden; Titelangabe nach *Schubert. Die Dokumente seines Lebens*, a. a. O., S. 459.

Quellenbewertung und Edition

Quelle B ist die für die Edition einzig relevante Quelle. Die Quellen C und D sind posthum entstanden und von B abhängig. Quelle A bietet eine andere Fassung mit zahlreichen Abweichungen im Detail.

Die Partituranordnung in der Edition entspricht der Quelle B. Die italienischen Instrumentenbezeichnungen entsprechen ebenfalls der Quelle, lediglich „mit beliebigem Contrabass“ schrieb Schubert auf Deutsch. Die in der Quelle nur zu den Systemen der Oboe, des Soprans und der Orgel notierten dynamischen Anweisungen („Rahmendynamik“) wurden in der Edition für die übrigen Systeme ohne Kennzeichnung ergänzt. Ebenfalls ohne Kennzeichnung wurden Anweisungen zu Dynamik und Artikulation ergänzt bei streng parallel verlaufenden Stimmen und nur innerhalb der Instrumentengruppen (z. B. stehen in Nr. 1, Takt 4 in der Quelle Bögen in den Oboen und Fagotten; für die Klarinetten sind sie in der Edition ergänzt, jedoch nicht für die Orgel).

An einigen Stellen schreibt Schubert *cresc* und gleichzeitig eine Crescendo-Gabel. I diesen Fällen wurde in der Edition das *cresc* ohne Anmerkung weggelassen.

Im Orgelpart wurden zur Verdeutlichun der Stimmführung einzelne Pausen ohne Kenn zeichnung ergänzt.

Die Textquelle T1 diente vermutlich al Vorlage für den Textdruck T2. Der Singtex wurde generell gemäß T1 ediert; über Sonder fälle informieren die Einzelanmerkungen (vg z. B. Nr. 6, Takt 8). Die Orthografie ist moder nisiert, die originalen Lautungen sind jedoc beibehalten.

Die Unterscheidung von Akzent und De crescendo-Gabel ist in Schuberts Handschrif bekanntlich oftmals schwierig. In allen Zwei felsfällen wurde in der vorliegenden Editio eine Decrescendo-Gabel gesetzt. Es handel sich um folgende Stellen: Nr. 1, Takt 17; Nr. 4 Takt 3; Nr. 6, Takt 3, 6, 8, 12, 15; Nr. 8, Takt 3 7, 19, 25, 27.

Felix Lo

Einzelanmerkungen

Verwendete Abkürzungen:
A = Alto, B = Basso, Cb = Contrabbasso, Cl = Clarinetto, Cor = Corno, Cresc. = Crescendo, Decresc. = Decrescendo, Fg = Fagotto, Instr = Instrumentalstimmen, Ob = Oboe, Org = Organo (oS/uS = oberes/unteres System), S = Soprano, T = Tenore, T. = Takt, Trb = Trombone, Zz = Zählzeit.

Falls nicht anders angegeben, beziehen sich Lesarten zur Musik auf Quelle B, Lesarten zum Singtext auf Quelle T1.

Takt	System	Anmerkungen

1. Zum Eingang

–

2. Zum Gloria

Takt	System	Anmerkungen
21	Cl 1	2 Bögen: 1.–3. und 4.–6. Note; angeglichen an Ob 1 und Fg 2

3. Zum Evangelium und Credo

Takt	System	Anmerkungen
5	SATB	Text: 1. Strophe ohne Satzzeichen, Edition nach T2
11	Cor, Org	Decresc.-Gabel endet zwischen 2. und 3. Note
11	SATB	Text: in B „trat“ statt „tritt“; Edition nach T1 und T2
12	Org	***p*** bereits zur letzten Note in T. 11
16	B 4	*c*[1] statt *c* (wohl in Anlehnung an 1. Fassung), jedoch nach Seitenwechsel in T. 17 wie Edition und Org/Cb; geändert analog Fg 2, Trb 3 und Org/Cb

4. Zum Offertorium

Takt	System	Anmerkungen
1	Fg 2	3. Note *c* statt *A*; angeglichen an B, Org sowie T. 5
1	Org	Cresc.-Gabel erst zur 2. Takthälfte, Decresc.-Gabel erst T. 2, 1. Note; angeglichen an übrige Stimmen
5	Cl 1, 2	Decresc.-Gabel flüchtig bis T. 6, 1. Note gezogen
5	SATB	Text: in 1. Strophe Kommata vor und nach „ich Staub“ ergänzt nach T2
5	Org	Cresc.-Gabel erst zwischen 4. und 5. Note beginnend, wohl aus Platzmangel; angeglichen an übrige Stimmen
7	Fg 1	2. Bogen erst ab 4. Note; angeglichen an Ob
9	Ob 1	Bögen flüchtig zur 1.–3. und 4.–6. Note; angeglichen an T. 7
9	Cl 1, 2, Cor 1, 2	ganztaktiger Bogen (Cor 2: Bogen flüchtig zur 1.–4. Note); angeglichen an Ob sowie T. 7

11	Fg	zusätzlich überzählige Halbenote *g*

5. Zum Sanctus

9	Ob	Cresc.-Gabel beginnt erst nach der letzten Note
9	S	Cresc.-Gabel beginnt etwa beim 2. Taktviertel
13	B	beide Noten *As* statt *B* (irrtümlich in Anlehnung an T. 5?); angeglichen an Org, Trb III
26	Ob, Cl 2	evtl. es^1 statt g^1 gemeint? (vgl. S, Org); g^1 evtl. versehentlich von T. 10 übernommen?
27–28	Ob	Decresc.-Gabel nur bis T. 28, 1. Taktviertel
27–28	Org	Decresc.-Gabel bis T. 29, 1. Taktviertel

6. Nach der Wandlung

1	Instr	uneinheitliche, teils widersprüchliche Bogensetzung: Ob 1.–6. Note, Fg 2.–6. Note (bei einfacher Behalsung), Trb 1 3.–6. Note, Trb 3 2.–6. Note, Org oS 2.–6. Note. Edition belässt den ganztaktigen Bogen in der melodieführenden Ob 1 (und ergänzt analog in Cl 1) und übernimmt im Übrigen den vorwiegenden Befund (2.–6. Note)
7–8		zunächst alle Stimmen gemäß der 1. Fassung eingetragen, sodann die Noten und Rhythmik geändert, nicht jedoch die Dynamik. In der 1. Fassung liegt die Textsilbe „Be-" (-cher) mit dem Quartsextvorhalt bereits auf der 4. Zz von T. 7. In der Edition ist der dynamische Höhepunkt dem neuen Verlauf angepasst.
8	SATB	letzte Achtel, Text: 1. Strophe in T1 und T2 „Es"; Edition wählt „Dies" gemäß B
10	Ob 1	Bogen 2.–8. Note; angeglichen an T. 8–9
11	S	Bogen 1.–2. Note, evtl. in Anlehnung an T. 9? in Edition als irrtümlicher Melismenbogen gedeutet und daher weggelassen
15	Ob 1	2. Bogen 3.–6. Note; angeglichen an Cl 1, Org. – Decresc.-Gabel bis Taktende; angeglichen an Org, da zum letzten Taktachtel bereits ***p***

7. Zum Agnus Dei

8, 26	Org	in B ***pp*** statt ***p***; angeglichen an übrige Stimmen
11, 29	Org oS	Bogen 2.–6. Note; angeglichen an Cl
12, 30	SATB	Text: „Schuld! Send", Edition nach T2
18, 36	Fg 2	ohne Haltebogen

. Schlussgesang

	Fg 2	Bogen nur 3.–4. Note, vermutlich aus Platzmangel
	Trb 1	Cresc.-Gabel beginnt erst nach letzter Note
	Org	Decresc.-Gabel nur bis kurz vor 2. Note
5	Ob	Bogen ungenau, eher zur 2.–4. Note; angeglichen an Cl
5	Cl	weiterer Bogen 1.–2. Note, wohl irrtümlich
9	Ob 1	Bogen 7.–8. Note; in Edition weggelassen analog zu übrigen Instr. sowie T. 3
21	SATB	Text: „Alles,“; Edition nach T2
22	Ob	Cresc.-Gabel beginnt erst nach letzter Note
22f.	Trb 2	Cresc.-Gabel erst ab T. 23, 1. Note, Decresc.-Gabel bis T. 23, 4. Note
23	Org	Decresc.-Gabel nur bis kurz nach 1. Note, wohl aus Platzmangel
26	Ob, Trb 1	Cresc.-Gabel beginnt erst nach letzter Note

Anhang: „Das Gebet des Herrn“

2	Cl	Bogen ungenau, eher 1.–4. Note
14	Ob	Bogen ungenau, eher 1.–4. Note
14	SATB	Text: 1. Strophe „Schöpfer;“, Edition nach T2
15	Ob	Cresc.-Gabel 2.–5., Decresc.-Gabel 5.–6. Zz; angeglichen an S
17	Ob	Cresc.-Gabel 2.–3., Decresc.-Gabel 4.–5. Zz; angeglichen an T. 15
17	Trb 1	Cresc.-Gabel erst ab 2. Zz, Decresc.-Gabel 4.–5. Zz; angeglichen an T. 15
17	Org	Cresc.-Gabel 1.–2. Zz, Decresc.-Gabel nur zur 3. Zz, evtl. aus Platzmangel; angeglichen an T. 15

DEUTSCHE MESSE

Edited by Felix Loy

6
Ob.
Cl. (B♭)
Fg.
Cor. (F)
Trb.
S
-zü - cken, wenn freu - dig pocht mein Herz? Zu dir, zu dir, o Va - ter, komm ich in Freud und
Stät - te, ich selbst in Zu - falls Hand. Du bist's, der mei-nen We - gen ein sich'-res Ziel ver -
A
-zü - cken, wenn freu - dig pocht mein Herz? Zu dir, zu dir, o Va - ter, komm ich in Freud und
Stät - te, ich selbst in Zu - falls Hand. Du bist's, der mei-nen We - gen ein sich'-res Ziel ver -
T
-zü - cken, wenn freu - dig pocht mein Herz? Zu dir, zu dir, o Va - ter, komm ich in Freud und
Stät - te, ich selbst in Zu - falls Hand. Du bist's, der mei-nen We - gen ein sich'-res Ziel ver -
B
-zü - cken, wenn freu - dig pocht mein Herz? Zu dir, zu dir, o Va - ter, komm ich in Freud und
Stät - te, ich selbst in Zu - falls Hand. Du bist's, der mei-nen We - gen ein sich'-res Ziel ver -
Org.
(Cb.
ad lib.)

12
Ob. 1 2
Cl. (B♭) 1 2
Fg. 1 2
Cor. (F) 1 2
Trb. 1 2 3
S
A
T
B
Org. (Cb. ad lib.)
f
p
mf
Lei - den, du sen-dest ja die Freu-den, du hei-lest je-den Schmerz!
-lei - het und Erd und Him-mel wei - het zu sü-ßem Hei-mat - land.

19
Ob. 1 2
Cl. (B♭) 1 2
Fg. 1 2
Cor. (F) 1 2
Trb. 1 2 3
S
A
T
B
Org. (Cb. ad lib.)
p
3. Doch darf ich dir mich na - hen, mit man - cher Schuld be - la - - den? Wer auf der Er - de
4. Süß ist dein Wort er - schol - len: "Zu mir, ihr Kum - mer - vol - - len! Zu mir! Ich will euch

24
Ob. 1 2
Cl. (B♭) 1 2
Fg. 1 2
Cor. (F) 1 2
Trb. 1 2 3
S
A
T
B
Pfa - den ist dei - nem Au - ge rein? Mit kind - li - chem Ver - trau - en eil ich in Va - ters
la - ben, euch neh - men Angst und Not." Heil mir! Ich bin er - qui - cket! Heil mir! Ich darf ent -
Org. (Cb. ad lib.)

30
Ob. 1 2
Cl. (B♭) 1 2
Fg. 1 2
Cor. (F) 1 2
Trb. 1 2 3
S
A
T
B
Ar - me, fleh reu - er-füllt: Er - bar - me, er - barm, o Herr, dich mein!
-zü - cket mit Dank und Preis und Ju - bel mich freu'n in mei-nem Gott.
Org. (Cb. ad lib.)

2. Zum Gloria
Mit Majestät (♩ = 69)
Oboe 1 2
Clarinetto (B♭) 1 2
Fagotto 1 2
Corno (F) 1 2
a 2
Tromba (B♭) 1 2
Trombone 1 2 3
Timpani (B♭-F)
Soprano
Alto
Tenore
Basso
Organo (Contrabbasso ad lib.)
1. Eh - re, Eh - re sei Gott in der Hö - he! sin - get der Himm - li - schen se - li - ge Schar.
2. Eh - re, Eh - re sei Gott in der Hö - he! kün - det der Ster - ne strah - len - des Heer.

5
Ob. 1 2
Cl. (B♭) 1 2
Fg. 1 2
Cor. (F) 1 2
a 2
Tr. (B♭) 1 2
Trb. 1 2 3
Timp.
S
Eh - re, Eh - re sei Gott in der Hö - he, stam - meln auch wir, die die Er - de ge - bar.
Eh - re, Eh - re sei Gott in der Hö - he! säu - seln die Lüf - te, brau - set das Meer.
A
Eh - re, Eh - re sei Gott in der Hö - he, stam - meln auch wir, die die Er - de ge - bar.
Eh - re, Eh - re sei Gott in der Hö - he! säu - seln die Lüf - te, brau - set das Meer.
T
Eh - re, Eh - re sei Gott in der Hö - he, stam - meln auch wir, die die Er - de ge - bar.
Eh - re, Eh - re sei Gott in der Hö - he! säu - seln die Lüf - te, brau - set das Meer.
B
Eh - re, Eh - re sei Gott in der Hö - he, stam - meln auch wir, die die Er - de ge - bar.
Eh - re, Eh - re sei Gott in der Hö - he! säu - seln die Lüf - te, brau - set das Meer.
Org. (Cb. ad lib.)

Ob. 1 2
Cl. (B♭) 1 2
Fg. 1 2
a 2
Cor. (F) 1 2
Tr. (B♭) 1 2
Trb. 1 2 3
S
A
T
B
Staunen nur kann ich und staunend mich freu'n, Vater der Welten! doch stimm ich mit ein:
Feiern der Wesen unendlicher Chor jubelt im ewigen Danklied empor:
Org. (Cb. ad lib.)

13
Ob. 1 2
Cl. (B♭) 1 2
Fg. 1 2
a 2
Cor. (F) 1 2
(a 2)
Tr. (B♭) 1 2
Trb. 1 2 3
Timp.
S
A
T
B
Org. (Cb. ad lib.)
ff
p
Eh - re sei Gott in der Hö - - he!
Eh - re sei Gott in der Hö - - he!
Stau - nen nur kann ich und stau - nend mich freu'n,
Fei - ern - der We - sen un - end - li - cher Chor

17
Ob. 1 2
Cl. (B♭) 1 2
Fg. 1 2
Cor. (F) 1 2
a 2
Tr. (B♭) 1 2
Trb. 1 2 3
Timp.
S
A
T
B
Va-ter der Wel-ten! doch stimm ich mit ein: Eh-re sei Gott in der Hö - he!
ju-belt im e - wi-gen Dank-lied em-por: Eh-re sei Gott in der Hö - he!
Org. (Cb. ad lib.)
f
ff
p

3. Zum Evangelium und Credo

5
Ob.
Cl. (B♭)
Fg.
Cor. (G)
Trb.
S
A
T
B
Org. (Cb. ad lib.)
sprach der Herr: "Es wer - de Licht!" Er sprach's – und es ward Licht. Und Le - ben regt und
Hei - land kam, und es ward Licht! Und hel - ler Tag bricht an. Und sei - ner Leh - re

10
Ob.
Cl. (B♭)
Fg.
Cor. (G)
Trb.
S
re - get sich, und Ord-nung tritt her - vor. Und ü - ber-all, all - ü - ber - all tönt
heil' - ger Strahl weckt Le - ben nah und fern; und al - le Her - zen po - chen Dank und
A
re - get sich, und Ord-nung tritt her - vor. Und ü - ber-all, all - ü - ber - all tönt
heil' - ger Strahl weckt Le - ben nah und fern; und al - le Her - zen po - chen Dank und
T
re - get sich, und Ord-nung tritt her - vor. Und ü - ber-all, all - ü - ber - all tönt
heil' - ger Strahl weckt Le - ben nah und fern; und al - le Her - zen po - chen Dank und
B
re - get sich, und Ord-nung tritt her - vor. Und ü - ber-all, all - ü - ber - all tönt
heil' - ger Strahl weckt Le - ben nah und fern; und al - le Her - zen po - chen Dank und
Org.
(Cb.
ad lib.)

Ob.
Cl. (B♭)
Fg.
Cor. (G)
Trb.
S
A
T
B
Org. (Cb. ad lib.)
a 2
ff
p
Preis und Dank em - por, tönt Preis und Dank em - por.
prei - sen Gott, den Herrn, und prei - sen Gott, den Herrn.

21
Ob. 1 2
Cl. (B♭) 1 2
Fg. 1 2
Cor. (G) 1 2
Trb. 1 2 3
S
A
T
B
Org. (Cb. ad lib.)
p
3. Doch war - nend spricht der heil' - ge Mund: "Nicht frommt der Glaub' al - lein, nur
4. Ver - leih uns Kraft und Mut, dass wir nicht nur die We - ge sehn, die

25
Ob. 1 2
Cl. (B♭) 1 2
Fg. 1 2
Cor. (G) 1 2
Trb. 1 2 3
S
die Er - fül - lung eu - rer Pflicht kann Le - ben ihm_ ver - leihn."_ Drum gib ein gläu - bi -
der Er - lö - ser ging,_ dass wir auch stre - ben nach - zu - gehn._ Lass so dein E - van-
A
die Er - fül - lung eu - rer Pflicht kann Le - ben ihm_ ver - leihn."_ Drum gib ein gläu - bi -
der Er - lö - ser ging, dass wir auch stre - ben nach - zu - gehn._ Lass so dein E - van-
T
die Er - fül - lung eu - rer Pflicht kann Le - ben ihm_ ver - leihn."_ Drum gib ein gläu - bi -
der Er - lö - ser ging,_ dass wir auch stre - ben nach - zu - gehn._ Lass so dein E - van-
B
die Er - fül - lung eu - rer Pflicht kann Le - ben ihm_ ver - leihn."_ Drum gib ein gläu - bi -
der Er - lö - ser ging,_ dass wir auch stre - ben nach - zu - gehn._ Lass so dein E - van-
Org. (Cb. ad lib.)

30
Ob.
Cl. (B♭)
Fg.
Cor. (G)
Trb.
S
A
T
B
-ges Ge-müt! Und gib uns auch, o Gott, ein lie-bend Herz, das fromm und treu stets
-ge - li - um uns Him-mels Bot-schaft sein, und für uns, Herr, durch dei - ne Huld ins
Org.
(Cb.
ad lib.)

35
Ob. 1 2
a 2
ff
p
Cl. (B♭) 1 2
Fg. 1 2
Cor. (G) 1 2
Trb. 1 2 3
S
fol - get dem Ge-bot, stets fol - get dem Ge - bot!
Reich der Won-nen ein, ins Reich der Won - nen ein.
A
T
B
Org. (Cb. ad lib.)

4. Zum Offertorium

4
Ob. 1 2
Cl. (B♭) 1 2
Fg. 1 2
Cor. (C) 1 2
Trb. 1 2 3
S
Licht; was kann da - für, ich Staub, dir ge - ben? Nur dan - ken kann ich, mehr doch
-lein; und Lie - be, dank - er - füll - te Lie - be soll mei - nes Le - bens Won - ne
dir; Herr, nimm durch dei - nes Soh - nes Op - fer dies Her - zens - op - fer auch von
A
Licht; was kann da - für, ich Staub, dir ge - ben? Nur dan - ken kann ich, mehr doch
-lein; und Lie - be, dank - er - füll - te Lie - be soll mei - nes Le - bens Won - ne
dir; Herr, nimm durch dei - nes Soh - nes Op - fer dies Her - zens - op - fer auch von
T
Licht; was kann da - für, ich Staub, dir ge - ben? Nur dan - ken kann ich, mehr doch
-lein; und Lie - be, dank - er - füll - te Lie - be soll mei - nes Le - bens Won - ne
dir; Herr, nimm durch dei - nes Soh - nes Op - fer dies Her - zens - op - fer auch von
B
Licht; was kann da - für, ich Staub, dir ge - ben? Nur dan - ken kann ich, mehr doch
-lein; und Lie - be, dank - er - füll - te Lie - be soll mei - nes Le - bens Won - ne
dir; Herr, nimm durch dei - nes Soh - nes Op - fer dies Her - zens - op - fer auch von
Org. (Cb. ad lib.)

8
Ob.
Cl. (B♭)
Fg.
Cor. (C)
Trb.
S
A
T
B
Org. (Cb. ad lib.)
pp
nicht, nur dan - ken kann ich, mehr doch nicht.
sein, soll mei - nes Le - bens Won - ne sein.
mir, dies Her - zens - op - fer auch von mir!

5. Zum Sanctus

Sehr langsam (♩ = 56)

Ob.
Cl. (B♭)
Fg.
Cor. (E♭)
Trb.
Timp.
S
A
T
B
Org. (Cb. ad lib.)
Hei - lig, hei - lig, hei - lig, hei - lig ist nur Er!

17
Ob. 1 2
Cl. (B♭) 1 2
Fg. 1 2
Cor. (E♭) 1 2
Trb. 1 2 3
Timp.
decresc.
S
A
T
B
Er, der nie be - gon - - nen, Er, der im - mer war,
All - macht, Wun - der, Lie - - be, al - les rings - um - her!
Org. (Cb. ad lib.)

25
1.
Ob.
pp
Cl. (B♭)
Fg.
Cor. (E♭)
fp
Trb.
Timp.
dim.
S
e - wig ist und wal - - tet, sein wird im - mer - dar.
Hei - lig, hei - lig, hei - - lig, hei - lig ist der Herr!
A
T
B
Org. (Cb. ad lib.)

6. Nach der Wandlung

Sehr langsam (♩ = 56)

4
Ob.
Cl. (B♭)
Fg.
Cor. (G)
Trb.
S
A
T
B
Org. (Cb. ad lib.)
mf
cresc.
ich beim letz - ten A - bend - mah - le im Krei - se dei - ner Teu - ren dich. Du brichst das Brot, du reichst den
du, mein Hei - land, bist zu - ge - gen, des Geis - tes Aug' wird dich ge - wahr. Herr, der du Schmerz und Tod ge -

8
Ob.
Cl. (B♭)
Fg.
Cor. (G)
Trb.
S
A
T
B
Org.
(Cb.
ad lib.)
Be-cher, du sprichst: "Dies ist mein Leib, mein Blut, nehmt hin und den - ket mei-ner Lie - be, wenn op-fernd
-tra-gen, um uns das Le-ben zu ver - leihn, lass die-ses Him-mels-brot uns La - bung im Le - ben

12
Ob.
Cl. (B♭)
Fg.
Cor. (G)
Trb.
S
A
T
B
Org. (Cb. ad lib.)
ihr ein Glei-ches tut, wenn op-fernd ihr ein_ Glei-ches tut."
und im To - de sein, im Le-ben und im_ To - de sein!
ihr ein Glei-ches tut, wenn op-fernd ihr ein Glei-ches tut."
und im To - de sein, im Le-ben und im To - de sein!

7. Zum Agnus Dei
Mäßig (♪ = 80)
Oboe 1 2
Clarinetto (B♭) 1 2
Fagotto 1 2
Corno (B♭) 1 2
Trombone 1 2 3
Soprano
Alto
Tenore
Basso
Organo (Contrabbasso ad lib.)
1. Mein Hei - land, Herr und Meis - ter! Dein Mund, so se - gen - reich, sprach
2. In die - ses Frie - dens Pal - men er - stirbt der Er - den - schmerz, sie

5
Ob. 1 2
Cl. (B♭) 1 2
Fg. 1 2
Cor. (B♭) 1 2
Trb. 1 2 3
S
A
T
B
Org. (Cb. ad lib.)
p
einst das Wort des Hei - - les: "Der Frie - de sei mit euch!" O
we - hen Heil und La - - bung ins sturm - be - weg - te Herz; und

9
Ob. 1 2
Cl. (B♭) 1 2
Fg. 1 2
Cor. (B♭) 1 2
Trb. 1 2 3
S
Lamm, das op - fernd tilg - te der Mensch - heit schwe - re Schuld, send
auch die Er - den - freu - de, durch ihn ge - hei - ligt, blüht ent -
A
Lamm, das op - fernd tilg - te der Mensch - heit schwe - re Schuld, send
auch die Er - den - freu - de, durch ihn ge - hei - ligt, blüht ent -
T
Lamm, das op - fernd tilg - te der Mensch - heit schwe - re Schuld, send
auch die Er - den - freu - de, durch ihn ge - hei - ligt, blüht ent -
B
Lamm, das op - fernd tilg - te der Mensch - heit schwe - re Schuld, send
auch die Er - den - freu - de, durch ihn ge - hei - ligt, blüht ent -
Org. (Cb. ad lib.)

13
Ob. 1 2
a 2
mf
p
Cl. (B♭) 1 2
Fg. 1 2
Cor. (B♭) 1 2
Trb. 1 2 3
S
uns auch dei-nen Frie - den durch dei - ne Gnad und Huld!
-zü-cken-der und rei - ner dem se - li- gen Ge- müt.
A
T
B
Org. (Cb. ad lib.)

19
Ob. 1 2
p
Cl. (B♭) 1 2
p
Fg. 1 2
p
Cor. (B♭) 1 2
p
Trb. 1 2
p
3
p
S
p
3. Herr, uns - re Lie - ben al - - le, die nun be - reits von hier ins
4. Mein Hei - land, Herr und Meis - ter, o sprich er - bar - mungs - reich, zu
A
p
3. Herr, uns - re Lie - ben al - - le, die nun be - reits von hier ins
4. Mein Hei - land, Herr und Meis - ter, o sprich er - bar - mungs - reich, zu
T
p
3. Herr, uns - re Lie - ben al - - le, die nun be - reits von hier ins
4. Mein Hei - land, Herr und Meis - ter, o sprich er - bar - mungs - reich, zu
B
p
3. Herr, uns - re Lie - ben al - - le, die nun be - reits von hier ins
4. Mein Hei - land, Herr und Meis - ter, o sprich er - bar - mungs - reich, zu
Org. (Cb. ad lib.)
p

23
Ob. 1 2
Cl. (B♭) 1 2
Fg. 1 2
Cor. (B♭) 1 2
1 2
Trb.
3
S
A
T
B
Land des Frie - dens gin - - gen, nimm sie, nimm sie zu dir! Lass
uns das Wort des Hei - - les: "Der Frie - de sei mit euch!" Send
Org. (Cb. ad lib.)
p

27
Ob. 1 2
Cl. (B♭) 1 2
Fg. 1 2
Cor. (B♭) 1 2
Trb. 1 2 3
S
einst sie dort uns fin - den! O se - li - ger Ver - ein, wenn
uns den Him - mels - frie - den, den nie die Er - de gibt, der
A
einst sie dort uns fin - den! O se - li - ger Ver - ein, wenn
uns den Him - mels - frie - den, den nie die Er - de gibt, der
T
einst sie dort uns fin - den! O se - li - ger Ver - ein, wenn
uns den Him - mels - frie - den, den nie die Er - de gibt, der
B
einst sie dort uns fin - den! O se - li - ger Ver - ein, wenn
uns den Him - mels - frie - den, den nie die Er - de gibt, der
Org. (Cb. ad lib.)

31
Ob.
Cl. (B♭)
Fg.
Cor. (B♭)
Trb.
S
A
T
B
Org. (Cb. ad lib.)
a 2
a 2
wir des Him-mels-frie - dens zu - sam - men uns - er - freu'n!
nur dem Her - zen win - ket, das rein und treu dich liebt!

8. Schlussgesang

Nicht zu langsam (♩ = 63)

5
Ob. 1 2
Cl. (B♭) 1 2
Fg. 1 2
Cor. (F) 1 2
Trb. 1 2 3
S
in die Welt hi - naus, ins Le - ben folgt mir nun des Him - mels Lust.
A
in die Welt hi - naus, ins Le - ben folgt mir nun des Him - mels Lust.
T
in die Welt hi - naus, ins Le - ben folgt mir nun des Him - mels Lust.
B
in die Welt hi - naus, ins Le - ben folgt mir nun des Him - mels Lust.
Org. (Cb. ad lib.)
mf

9
Ob. 1 2
Cl. (B♭) 1 2
Fg. 1 2
Cor. (F) 1 2
Trb. 1 2 3
S
A
T
B
Dort auch bist ja du mir na - he, ü - ber-all und je - der zeit; al - ler-or-ten ist dein
Org. (Cb. ad lib.)

14
Ob. 1 2
Cl. (B♭) 1 2
Fg. 1 2
Cor. (F) 1 2
Trb. 1 2 3
S
Tem - pel, wo das Herz sich fromm dir weiht. Seg - ne, Herr, mich und die Mei - nen!
A
Tem - pel, wo das Herz sich fromm dir weiht. Seg - ne, Herr, mich und die Mei - nen!
T
Tem - pel, wo das Herz sich fromm dir weiht. Seg - ne, Herr, mich und die Mei - nen!
B
Tem - pel, wo das Herz sich fromm dir weiht. Seg - ne, Herr, mich und die Mei - nen!
Org. (Cb. ad lib.)

19
Ob. 1 2
Cl. (B♭) 1 2
Fg. 1 2
Cor. (F) 1 2
Trb. 1 2 3
S
A
T
B
Org. (Cb. ad lib.)
p
mf
Seg - ne un - sern Le - bens - gang!
Al - les un - ser Tun und Wir - ken sei ein

Ende der Messe

Anhang
"Das Gebet des Herrn"
Mäßig (♩ = 80)
Oboe 1 2
a 2
f
p
larinetto (B♭) 1 2
a 2
f
p
Fagotto 1 2
f
p
Corno (G) 1 2
a 2
f
1 2
Trombone
3
f
p
Soprano
Alto
Tenore
Basso
f
p
1. An - be - tend dei - ne Macht_ und Grö - ße, ver - sinkt in Nichts_ mein
2. O Va - ter, der___ du bist___ im Him - mel und ü - ber - all___ zu
Organo
(Contrabbasso
ad lib.)
f
p

Ob. 1 2
a 2
Cl. (B♭) 1 2
Fg. 1 2
Cor. (G) 1 2
Trb. 1 2 3
S
A
T
B
Org. (Cb. ad lib.)
be - bend Ich. Mit wel - chem Na - men, dei - ner wür - dig, du Un - nenn - ba - rer,
je - der Zeit, zu prei - sen dei - nen Va - ter - na - men sei je - dem Her - zen

8
Ob. 1 2
l. (B♭) 1 2
Fg. 1 2
or. (G) 1 2
Trb. 1 2 3
S
A
T
B
Org. (Cb. ad lib.)
p
preis' ich dich? Wohl mir! Ich darf dich Va - ter nen - nen, nach
Se - lig - keit! O lass, durch dei - ne Huld und Lie - be, er -

11
Ob. 1 2
Cl. (B♭) 1 2
Fg. 1 2
Cor. (G) 1 2
Trb. 1 2 3
a 2
f
S
A
T
B
8
dei - nes Soh - nes Un - ter - richt; so sprech ich denn zu dir, mein Schöp-fer, mit
-schei - nen uns dein Gna - den - reich! Und treu - es Tun nach dei - nem Wil - len mac
Org. (Cb. ad lib.)

15
Ob.
Cl. (B♭)
(a 2)
Fg.
Cor. (G)
(a 2)
Trb.
S
kind - lich fro - her Zu - ver - sicht.
auch die Er - de him - mel - gleich!
A
kind - lich fro - her Zu - ver - sicht.
auch die Er - de him - mel - gleich!
T
kind - lich fro - her Zu - ver - sicht.
auch die Er - de him - mel - gleich!
B
kind - lich fro - her Zu - ver - sicht.
auch die Er - de him - mel - gleich!
Org.
(Cb.
ad lib.)

Ob. 1 2
Cl. (B♭) 1 2
Fg. 1 2
Cor. (G) 1 2
Trb. 1 2 3
S
A
T
B
Org. (Cb. ad lib.)
a 2
19
3. Herr, der du nährst die jun - gen Ra - ben, du kennst auch dei - ner
4. Will die Ver - su - chung uns ver - lo - cken, gib Kraft, o Herr, zum

22
Ob. 1 2
a 2
l. (B♭) 1 2
Fg. 1 2
or. (G) 1 2
Trb. 1 2 3
S
A
T
B
Kin - der Not. Nicht ist ver - ge - bens un - ser Fle - hen: Gib uns auch täg - lich
Wi - der - stand! So vor der See - le höchs - tem Ü - bel, vor Sün - de schütz' uns
Org. (Cb. ad lib.)

26
Ob. 1 2
Cl. (B♭) 1 2
Fg. 1 2
Cor. (G) 1 2
Trb. 1 2
3
S
A
T
B
Org. (Cb. ad lib.)
p
un - ser Brot! Ver - gib uns, was wir ir - rend fehl - ten, wenn
dei - ne Hand! Send' uns Ge - duld und Trost in Lei - den! Und

29
Ob. 1 2
a 2
. (B♭) 1 2
Fg. 1 2
r. (G) 1 2
Trb. 1 2 3
S
wir die Schuld vor dir be-reu'n, wie wir, auf dein Ge-bot, den Brü-dern, wie
kann's zu un-serm Heil ge-schehn, so lass, durch dei-ne Va-ter-gü-te, den
A
wir die Schuld vor dir be-reu'n, wie wir, auf dein Ge-bot, den Brü-dern, wie
kann's zu un-serm Heil ge-schehn, so lass, durch dei-ne Va-ter-gü-te, den
T
wir die Schuld vor dir be-reu'n, wie wir, auf dein Ge-bot, den Brü-dern, wie
kann's zu un-serm Heil ge-schehn, so lass, durch dei-ne Va-ter-gü-te, den
B
wir die Schuld vor dir be-reu'n, wie wir, auf dein Ge-bot, den Brü-dern, wie
kann's zu un-serm Heil ge-schehn, so lass, durch dei-ne Va-ter-gü-te, den
Org. (Cb. ad lib.)

33
Ob. 1 2
Cl. (B♭) 1 2
(a 2)
Fg. 1 2
Cor. (G) 1 2
(a 2)
Trb. 1 2 3
S
wir den Fein - den auch ver - zeihn.
bit - tern Kelch vor - ü - ber - gehn!
A
wir den Fein - den auch ver - zeihn.
bit - tern Kelch vor - ü - ber - gehn!
T
wir den Fein - den auch ver - zeihn.
bit - tern Kelch vor - ü - ber - gehn!
B
wir den Fein - den auch ver - zeihn.
bit - tern Kelch vor - ü - ber - gehn!
Org. (Cb. ad lib.)